D0259034

Gu Devin beag lurach
a lorgas a dhòigh fhèin air cantainn …

Le taing shònraichte
gu Ailsa McWilliam

A' chiad fhoillseachadh sa Bheurla ann an 2013 le Leabhraichean Chloinne Macmillan,
earrann de Fhoillsichearan Macmillan Earranta 20 New Wharf Road, Lunnainn N1 9RR
Basingstoke agus Oxford. Caidreabh chompanaidhean air feadh an t-saoghail.

www.panmacmillan.com

© an teacsa Bheurla agus nan dealbhan 2013 Natalie Russell
© an teacsa Ghàidhlig 2014 Acair

Tha Natalie Russell a' dleasadh an còraichean a bhith air an aithneachadh mar ùghdar agus neach-deilbh na h-obrach seo.

Na còraichean uile glèidhte. Chan fhaodar pàirt sam bith dhen leabhar seo ath-riochdachadh an cruth sam bith,
a stòradh ann an siostam a dh'fhaodar fhaighinn air ais, no a chur a-mach air dhòigh sam bith, eileactronaigeach,
meacanaigeach, samhlachail, clàraichte no ann am modh sam bith eile gun chead ro-làimh bhon fhoillsichear.

A' chiad fhoillseachadh sa Ghàidhlig 2014 le Acair Earranta
An Tosgan, Rathad Shìophoirt, Steòrnabhagh Eilean Leòdhais HS1 2SD

info@acairbooks.com www.acairbooks.com

An tionndadh Gàidhlig Chrisella Ross
An dealbhachadh sa Ghàidhlig Mairead Anna NicLeòid

Tha Acair a' faighinn taic bho Bhòrd na Gàidhlig.

Fhuair Urras Leabhraichean na h-Alba taic airgid bho Bhòrd na Gàidhlig
le foillseachadh nan leabhraichean Gàidhlig *Bookbug*.

Gheibhear clàr catalog CIP airson an leabhair seo ann an Leabharlann Bhreatainn.

1 3 5 7 9 8 6 4 2

Clò-bhuailte ann an Sìona

LAGE/ISBN 978-0-86152-503-4

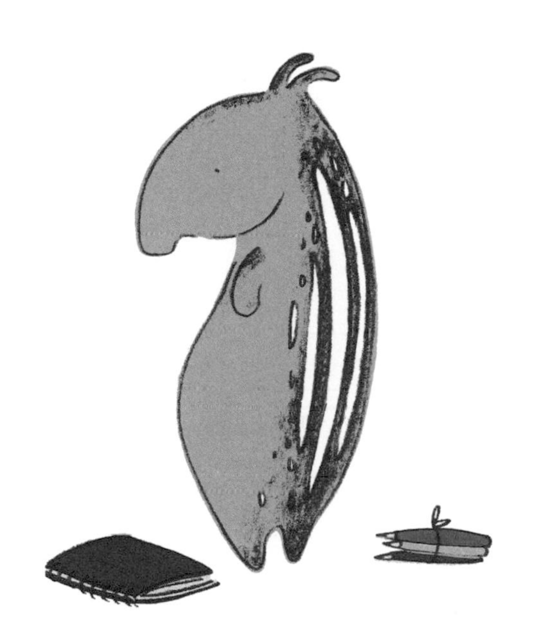

natalie russell

Feum air Facail

acair

Bha peansailean aig Tapir
agus leabhran àlainn ùr.

Ach cha robh fhios aige
dè a sgrìobhadh e
na bhroinn.

Dh'fheuch e. Siuthad – rudeigin!
Ach cha tigeadh beachd sam bith thuige
's e a' coimhead na duilleig bhàin ud.
Bha a cheann falamh, dìreach mar an duilleag.

Sgrìobhadh a charaidean facail mun na rudan a bu chudromaich dhaibh.

Bha Sioraf a' dèanamh bàrdachd mun chraoibh a b'fheàrr leis. A' cagnadh dhuilleagan sgrìobh e …

Tha thu àrd agus caol mo chraobh bheag fhèin,

Ruigeadh tu na rionnagan nan togradh tu,
gun strì

Tha do dhuilleagan cho blasta is gun
sàsaicheadh iad rìgh

A chraobh àlainn 's tu mo laoch,
is as d'aonais cha bhi mi.

Chuireadh Sioraf loinn air facail.

Bha Hippo anns a' pholl 's e a' sgrìobhadh stòiridh shunndach ...

Uair bha siud bha hippo eireachdail ann. Aon latha, bha e na laighe sa pholl agus srann aige nuair a chuala e eun a' bìogail. Mo chreach dè a bha ceàrr! Bha i glacte sa ghiodar. Shnàmh an Hippo eireachdail gu calma agus shàbhail e i. "Mo ghaisgeach" sheirm an t-eun. Nach math gur e snàmhaiche math a bha san Hippo eireachdail!

AN DEIREADH

Bha fhios aigesan mar a chuireadh e toiseach math air sgeul agus mar a chuireadh e crìoch mhath oirre cuideachd. Bha Hippo ealanta.

Bha Flamingo a' cur òran
ri chèile mun ghrèin.
Chluinneadh tu i a' seinn
gu socair 's i a' sgrìobhadh …

Nuair a chì mi a' ghrian ag èirigh gu a h-àird

Bidh mi toilichte ga coimhead agus a' faireachdainn a blàths!

Sìnidh mi m'amhaich agus crathaidh mi mo sgiathan

Nuair a chì mi a' ghrian bidh mo shùileansa làn iongnaidh

Ach nuair a thig na sgòthan tha cuisean gu math brònach

Mo chasan fliuch le uisge is m'òrdagan car fuar.

Bha an t-òran cho math 's gun tug e na deòir gu sùilean Tapir.

“Tha rudeigin ann nach eil mi
a’ dèanamh mar bu chòir” ars’ esan.

Dh’fheuch e crònan.

Laigh e sa pholl

Dh’fheuch e fiù ’s
beagan cagnadh
de dhuilleagan

Agus mar bu mhotha a dh’fheuchadh e,
’s ann bu mhosaiche a dh’fhàsadh e.

“Chan eil seo ceart!” thuirt Tapir.

“Na gabh dragh” ars’ a charaidean. “Thig rudeigin thugad.”

Ach cha robh Tapir cho cinnteach
à sin agus choisich e air falbh …

… fada air falbh gu àite sàmhach aig mullach cnuic.
An sin sheall Tapir a-mach air an t-sealladh bòidheach
agus thòisich e ri smaointinn.

Gu socrach dh'fhosgail e an leabhran beag
agus thug e a-mach na peansailean.

Agus gun smid a ràdh rinn e dealbh dhen ghrian,
mòr agus cruinn, aig fìor cheann shuas na duilleige.
Grian shoilleir dha Flamingo.

Fon ghrian sin rinn Tapir dealbh den abhainn,
fada agus cama-lùbach sìos chun lòn far
am biodh Hippo a' cluiche.

Chuir e tòrr poll ann dìreach
dha Hippo.

Ri taobh lòn Hippo chur e craobh àrd àlainn. Chuir Tapir duilleagan blasta uaine air a' chraoibh bhon a bha fhios aige gur e sin a chordadh ri Sioraf.

Nuair a bha Tapir deiseil bha e moiteal às na rinn e.

Ach bha aon rud a dhìth …

… trì caraidean a bha cunntadh uimhir ’s gum
feumadh gach fear dhiubh duilleag dha fhèin!

Ruith Tapir a-null gu charaidean gus an sealladh e dhaibh na dealbhan.

“Tha thu uabhasach math air an seo!” arsa Sioraf
“Nì thu dealbhan a tha bòidheach,” thuirt Hippo.
“Tha sin àlainn” arsa Flamingo, ’s i a’ suathadh deòir bho a sùil.

Cha robh feum sam bith aig Tapir air facail aig a' cheann thall!
Bha na dealbhan dathach aige ag innse na bha a dhìth!

Agus thuirt iad sin gu h-ealanta.